中国工程建设协会标准

城市地下商业空间设计导则

Guidelines for design of urban underground
commercial space

T/CECS 481-2017

主编单位：北京城建设计发展集团股份有限公司
批准单位：中国工程建设标准化协会
施行日期：2017年12月1日

中国计划出版社

2017 北 京

中国工程建设协会标准

城市地下商业空间设计导则

T/CECS 481-2017

☆

中国计划出版社出版发行

网址:www.jhpress.com

地址:北京市西城区木樨地北里甲 11 号国宏大厦 C 座 3 层

邮政编码:100038　电话:(010)63906433(发行部)

廊坊市海涛印刷有限公司印刷

850mm×1168mm　1/32　2 印张　48 千字

2017 年 11 月第 1 版　2017 年 11 月第 1 次印刷

印数 1—2080 册

☆

统一书号:155182・0227

定价:24.00 元

中国工程建设标准化协会公告

第 301 号

关于发布《城市地下商业空间设计导则》
的公告

根据中国工程建设标准化协会《关于印发〈2015 年第一批工
程建设协会标准制订、修订计划〉的通知》（建标协字〔2015〕044
号）的要求，由北京城建设计发展集团股份有限公司等单位编制的
《城市地下商业空间设计导则》，经本协会建筑与市政工程产品应
用分会组织审查，现批准发布，编号为 T/CECS 481-2017，自 2017
年 12 月 1 日起施行。

中国工程建设标准化协会
二〇一七年九月十三日

前　　言

根据中国工程建设标准化协会《关于印发〈2015 年第一批工程建设协会标准制订、修订计划〉的通知》（建标协字〔2015〕044 号）的要求，编制组经过广泛调查研究，认真总结我国近年来城市地下商业空间建设的实践经验，借鉴国外相关标准及成功案例，在广泛征求意见的基础上，制定了本导则。

本导则共分 5 章，主要内容包括：总则、术语、基本规定、布局要素、建筑设计。

本导则由中国工程建设标准化协会建筑与市政工程产品应用分会归口管理，由北京城建设计发展集团股份有限公司（地址：北京市西城区阜成门北大街 5 号技术质量部，邮政编码：100037）负责具体技术内容的解释。执行过程中如有意见和建议请寄送解释单位。

主 编 单 位：北京城建设计发展集团股份有限公司
参 编 单 位：中国建筑标准设计研究院有限公司
　　　　　　　中国人民解放军理工大学
　　　　　　　北京建筑大学
主要起草人：张建蔚　金　路　张瑞龙　廖元靖　夏梦丽
　　　　　　　宋晓宇　赵贵华　耿世彬　朱　茜　赵可昕
　　　　　　　胡小雨
主要审查人：王福杰　张　京　张志平　赵新华　常　清
　　　　　　　蔡　明　蒋　方　洪　卫　刘　安

目　　次

Contents

1 总 则

1.0.1 为适应我国大规模的城市地下商业空间开发建设的需要，贯彻适用、经济、绿色、美观的建筑方针，指导设计达到合理安全、节能环保的目标，制定本导则。

1.0.2 本导则适用于广场、停车场、道路、绿地、公园等城市公共用地的地下，相对独立的新建、改建和扩建的城市地下商业空间，包括与其他地下空间相连的具有商业功能的连接通道。地面建筑的地下商业空间设计可按本导则执行。

1.0.3 城市地下商业空间的设计应符合下列规定：

　　1 应符合以人为本、节约用地、低碳环保、可持续发展的绿色建筑原则。

　　2 应采取防火、防水、防洪、防涝等防灾安全措施，并应符合现行国家标准《建筑设计防火规范》GB 50016、《地下工程防水技术规范》GB 50108 及《城市防洪工程设计规范》GB/T 50805 的有关规定。

　　3 应便于残疾人、老年人等人群使用，并应在室内外空间中提供无障碍设施，且应符合现行国家标准《无障碍设计规范》GB 50763 的有关规定。

1.0.4 城市地下商业空间的设计除应符合本导则的规定外，尚应符合国家现行有关标准的规定。

2 术　语

2.0.1　城市地下商业空间　underground commercial space
修建在地表以下的供人们进行商业活动的空间或场所。

2.0.2　地下商业街　underground commercial street
沿地下公共人行通道设置商业设施的地下建筑。

2.0.3　地下购物中心　underground shopping center
由各类商业业态及服务设施组合在一起的地下建筑。

2.0.4　商业动线　commercial moving lines
商业建筑中为引导人们购物而设定的行走路线,也称为人行购物流线。

2.0.5　地下人行通道　underground pedestrian passageway
设置在地表以下专供行人使用的通道。

2.0.6　地下空间接口　underground space interface
地下建筑与其他地下空间或联络通道的衔接部位。

2.0.7　节点空间　node space
建筑中与交通空间相结合的静止型公共开放空间。

2.0.8　集散空间　distribution space
建筑中满足人员集散功能、起到空间转换及过渡作用的公共缓冲空间。

2.0.9　主要人行出入口　the main pedestrian entrance
建筑中供人员日常进出的主要出入口。

2.0.10　安全出口　safety exit
建筑中供人员安全疏散用的楼梯间和室外楼梯的出口,或直通室内外安全区域的出口。

2.0.11　货物运输口　goods opening

建筑中供货物运输使用的口部。

2.0.12 下沉式广场 sunken plaza

为地下建筑提供交通、集散、衔接以及采光通风的位于地表下的广场式公共空间。

2.0.13 中庭 atrium

建筑中竖向贯穿多层空间的共享大厅。

2.0.14 采光口 daylight opening

为了获得天然光,在建筑的外维护结构(墙、屋顶)上开的洞口。

2.0.15 采光天窗 roof light

由透光材料与支承结构组成,设置在建筑的内顶面用于采光的设施。

2.0.16 通风口 ventilation opening

为了通风换气,在建筑的外维护结构(墙、屋顶)上开的洞口。

2.0.17 风井 ventilation shaft

用于地面与地下空间的空气流通的构筑物。

2.0.18 设备吊装孔 hole for hoist equipment

地下建筑中为安装及维修大型设备而设置的与地面连通的垂直洞口。

2.0.19 地下空间控制线 boundary line of underground space use

地下建筑用地范围的边界线。

2.0.20 地下空间开发深度 depth of underground space development

地下建筑分层开发所要求的地面以下控制深度。

2.0.21 埋设深度 buried depth

地下建筑从基础底面至地表的垂直距离。

2.0.22 覆土厚度 covered thickness

地下建筑顶板的结构顶面至地表的覆土厚度。

3 基本规定

3.0.1 城市地下商业空间应依据城市规划、市政、交通设施等规划条件,因地制宜、节约成本,提高土地利用率。

3.0.2 城市地下商业空间应采用分期实施的建设步骤,预留发展空间,实现地下空间开发的可持续发展。

3.0.3 城市地下商业空间宜与周边地面建筑和轨道交通车站等进行一体化设计。

3.0.4 城市地下商业空间的选址应避免断层、溶洞、裂隙等地带,在不利的地质条件下,应采用混凝土挡土墙、截水沟、夯土密实等措施减少地下水带来的渗漏问题。

3.0.5 城市地下商业空间的定位应综合考虑项目所在地的人口特性、消费水平、商业形态、管理模式等因素。

3.0.6 城市地下商业空间的规模应综合考虑项目所在地的用地条件、规划定位、区域经济发展格局等因素。

3.0.7 城市地下商业空间的设计使用年限不得少于 50 年。

3.0.8 城市地下商业空间的地下围护结构后退地下空间控制线的距离不应小于 5m,并应符合项目所在城市的规划要求。

3.0.9 城市地下商业空间的挡土墙、底板、基础、围护桩和自用管线等地下建筑物/构筑物、附属设施以及出入口、通风口、采光口、集水井等出地面建筑物/构筑物、附属设施均不得突出地下空间控制线。

3.0.10 城市地下商业空间应配建停车功能,其车库设计应符合现行行业标准《车库建筑设计规范》JGJ 100 的有关规定。

3.0.11 城市地下商业空间的地下围护结构及出地面构筑物应符合现行国家标准《公共建筑节能设计标准》GB 50189 的有关规定。

3.0.12 城市地下商业空间应利用自然采光通风、地方材料、天然能源设施等绿建措施。

3.0.13 城市地下商业空间的声、光、空气质量等室内物理环境应符合现行国家标准《民用建筑设计通则》GB 50352、《民用建筑隔声设计规范》GB 50118、《建筑采光设计标准》GB 50033、《建筑照明设计标准》GB 50034、《室内空气质量标准》GB/T 18883 的有关规定。

3.0.14 城市地下商业空间的防水、防潮设计应符合现行国家标准《地下工程防水技术规范》GB 50108 的有关规定。

3.0.15 城市地下商业空间应按现行国家标准《无障碍设计规范》GB 50763 的有关规定设置无障碍设施。

3.0.16 城市地下商业空间的标识系统设计应符合现行国家标准《公共建筑标识系统技术规范》GB/T 51223 的有关规定；消防疏散标识的设置应符合现行国家标准《消防应急照明和疏散指示系统》GB 17945 的有关规定。

4 布 局 要 素

4.1 商 业 业 态

4.1.1 商业业态可分为百货零售、餐饮、文化娱乐、生活服务及其他。

4.1.2 百货零售按商品种类可分为服饰类、食品类、日用百货类及其他;按店面形式可分为主力店、专卖店及其他。

4.1.3 餐饮业可分为正餐、快餐、小吃店、咖啡厅、水吧及其他。

4.1.4 文化娱乐可分为影院、KTV、夜总会、冰场、运动场、健身、儿童乐园、音像书店、网吧、游戏厅及其他。

4.1.5 生活服务类可分为美容美发、通信、银行、洗衣店、五金日杂、电气维修及其他。

4.2 建 筑 形 式

4.2.1 城市地下商业空间的建筑形态可分为点状集中式地下购物中心及线状延伸式地下商业街。

4.2.2 地下购物中心应由店铺、通道、垂直交通设施及配套服务设施组成。宜设置在地下一层或地下二层,并宜与地下停车库相邻设置。

4.2.3 地下购物中心的规模应分为大、中、小型,并应符合表4.2.3的规定。

表 4.2.3 地下购物中心分类

类别	规模 （万 m²）	店 铺 组 成	服务半径 （km）
大型	＞5	主力店、百货店、超市、杂货店、专卖店、餐饮、文化娱乐、体育场所等组成的购物中心、商业综合体	10～30

续表 4.2.3

类别	规模 （万 m²）	店 铺 组 成	服务半径 （km）
中型	>2 且≤5	小型百货店、超市、杂货店、专卖店等	5～10
小型	≤2	超市、杂货店等	≤5

4.2.4 地下商业街应由步行道、出入口、店铺及附属设施组成。宜设置在地下一层，并宜与地下交通设施及其他地下建筑相连。

4.2.5 地下商业街按使用功能不同可分为交通型及商业型。

4.2.6 地下商业街的长度应符合步行者的心理距离需求。地下商业街总长度宜小于 1500m、步行 20min；人的心理步行距离宜采用 500m，步行 5min～10min；人的舒适步行距离宜采用 350m。大于 500m 的地下商业街，应设置节点空间用作集散、停留及休息。

4.3 流 线 组 织

4.3.1 城市地下商业空间中交通流线组织应做到清晰、避免交叉干扰，确保地下空间的安全合理、便捷高效。

4.3.2 交通流线组织按照使用性质不同应分为对外及对内交通流线。

4.3.3 对外交通流线按照组织对象不同应分为人员流线及货运流线。

4.3.4 人员流线按照使用功能不同应分为人员疏散流线及商业行为流线，并应符合下列规定：

1 人员疏散流线应符合现行国家标准《建筑设计防火规范》GB 50016 的有关规定。

2 商业行为流线应做到人行主要主入口位置明显、交通设施周全、人行通道顺畅。

3 当城市地下商业空间设置影院、体育、娱乐、游戏厅等大型文化娱乐设施时，应设置独立的商业行为流线。

4 当城市地下商业空间设置餐饮时,应设置独立的厨房流线。

5 当城市地下商业空间配建停车库时,商业行为流线应设置通道及连通口与地下车库相连。

4.3.5 货运流线宜包括地面卸货区、货梯、中转库房及货运通道等。当城市地下商业空间设置餐饮时,厨房流线与货运流线应分开设置。货运流线尚应符合下列规定:

1 应避免与商业行为流线的交织。

2 货运区宜设置在相对隐蔽的地方。

3 货梯出地面区域应与城市道路方便衔接。

4 在与地下车库合建时,可借用车库的汽车出入口及汽车坡道作为货运流线与地面交通的衔接;汽车出入口附近宜设置地面卸货区。

4.3.6 商业卸货区应符合下列规定:

1 货运车位的布局应根据商业规模、业态种类确定。1个货运车位的服务面积不宜大于 $5000m^2$。每个货运车位的尺寸可采用 8m～9m 长和 3m 宽。

2 货运车位的车行道应满足货车拐弯半径及货车一次进出车位的要求。

3 当卸货区的货运车位大于 3 辆时,应设置专用货车坡道。

4 地面卸货区应设置快递分拣场所。

4.3.7 垃圾清运流线宜包括集中垃圾收集房、货梯及运输通道,并应符合下列规定:

1 集中垃圾收集房应满足商业店铺每天产生垃圾集中存放的总和,并宜分设干、湿垃圾房,每组面积不应小于 $60m^2$。大型地下购物中心主力店的垃圾收集房宜单独设置。

2 集中垃圾收集房的位置应隐蔽,方便垃圾运输,力求运输距离短。

3 集中垃圾收集房应设置独立的通风系统及清扫保洁设施。

4 垃圾清运流线宜结合货运流线设置,共用货梯及运输通道。

5 垃圾应采用袋装化,密闭容器存放;应采用冷藏、压缩技术储运和外运;应满足垃圾分类要求;分类率不应小于70%。

6 环卫垃圾运输车辆的运输通道宽度不应小于4.0m,车辆装卸垃圾的操作空间净高不应小于4.5m。

4.3.8 对内交通流线按照使用对象不同应分为商业动线及服务流线。按照空间场所不同应分为水平交通流线及垂直交通流线。

4.3.9 商业动线的线形应分为单一型及复合型。其中单一型宜用于中、小型城市地下商业空间,复合型宜用于大、中型城市地下商业空间。商业动线尚应符合下列规定:

1 商业动线应通达所有商业店铺及服务设施,并应避免顾客走回头路。

2 商业动线应减少锐角线形,并应符合顾客的购物视线及行走动线的连续性要求。

3 商业动线应设置可识别性元素,包括导示牌、店招、地面铺装、景观小品、颜色、照明及业态布局等。

4.3.10 服务流线宜包括咨询、休息、结账等对外服务功能以及物业管理、货运、垃圾转运等对内服务功能。

4.3.11 水平交通流线应减少同层的各种交通流线的交织。垂直交通流线应做好垂直交通设施布局、通达不同楼层并与水平交通流线紧密结合。

4.3.12 垂直交通设施宜包括楼梯、自动扶梯、垂直客梯等,并宜均匀分布。

4.3.13 楼梯应符合下列规定:

1 楼梯作为城市地下商业空间安全疏散的交通工具,其数量、位置、宽度、距离以及楼梯间的形式应符合现行国家标准《建筑设计防火规范》GB 50016 的有关规定。

2 楼梯应与商业动线连通。

3 楼梯疏散门外 5m 范围内不得设置影响人员通行的障碍物。

4.3.14 自动扶梯应符合下列规定：

1 自动扶梯作为城市地下商业空间日常使用的交通工具，应与商业动线紧密相连。其布置应连续、均衡而高效。

2 自动扶梯的布置方式宜分为平行式、交叉式、接力式及跨层式。

3 自动扶梯宜成组设置在人员集中的节点空间，并应分为上行及下行。

4 自动扶梯的数量应根据商业布局及节点空间的需求确定。1 部自动扶梯的服务面积不宜大于 $3000m^2$。

5 自动扶梯间距不宜大于 50m。

6 自动扶梯上、下工作点 8m 范围内不得设置影响人员疏散的障碍物。

4.3.15 垂直客梯应符合下列规定：

1 垂直客梯作为自动扶梯运送客流的补充，应与商业动线紧密相连。其布置应方便、均衡而高效。

2 垂直客梯宜成组布置在人员集中的节点空间。

3 垂直客梯的数量应根据商业功能分区、规模、层数等需求确定。

4 垂直客梯间距不宜大于 100m，其吨位宜采用 1.5t～2t。

5 垂直客梯前应设置集散空间，地面宜设置独立的电梯厅。

4.3.16 货梯应符合下列规定：

1 货梯作为城市地下商业空间货运需求的交通工具，应与货运流线紧密相连。其布置应方便而隐蔽。

2 货梯的数量应根据货运组织方式确定。1 部货梯的服务面积不宜大于 2 万 m^2。

3 货梯间距不宜大于 100m，其吨位宜采用 2t～5t。

4 货梯前应设置货物周转空间，地面宜设置卸货区域。

4.3.17 城市地下商业空间的无障碍电梯、消防电梯应符合现行国家标准《无障碍设计规范》GB 50763、《建筑设计防火规范》GB 50016 的有关规定。

4.4 平面布局

4.4.1 城市地下商业空间的结构布局及建设时序应根据城市规划和商业定位确定。

4.4.2 城市地下商业空间的使用功能应分为营业厅、人行通道及辅助用房。

4.4.3 营业厅应符合下列规定：

　　1 大、中型城市地下商业空间的营业厅面积占总建筑面积的比例应符合下列规定：

　　　　1）地下购物中心宜采用 45％～50％。

　　　　2）百货商店宜采用 50％～60％。

　　　　3）超市宜采用 60％～65％。

　　2 城市地下商业空间的营业厅不应设置在地下三层及以下。影院、体育、娱乐、游戏厅等人员密集场所不应设置在地下二层及以下，当布置在地下一层时，地下一层地面与室外出入口地坪的高差不应大于 10m。

4.4.4 主力店应符合下列规定：

　　1 主力店可包括百货、超市、电影院、溜冰场、健身房、美食广场等商业模式。

　　2 主力店宜布置在商业动线的尽端以及难以组织回路的空间，并宜按不同商业功能分层设置，吸引客流均匀流动，减少商业死角。

　　3 百货主力店的单层面积宜大于 5000m²，总建筑面积不宜大于 3 万 m²。

4.4.5 人行通道应符合下列规定：

　　1 人行通道应连接所有商业空间、服务空间及交通设施。

2 人行通道宽度应根据通行能力、使用功能等要求确定,其宽度宜采用 4.0m～6.5m。

3 人行通道内不宜设台阶;当设置台阶时,踏步不应少于 3 步;踏步不足 3 步时,应采用坡道形式,坡道应符合现行国家标准《民用建筑设计通则》GB 50352 的有关规定。

4 人行通道内不得设置影响人员通行的障碍物。

4.4.6 节点空间应符合下列规定:

1 城市地下商业空间应设置中庭、休息区等节点空间,并应与商业动线紧密相连。节点空间的间距不宜大于 100m。

2 节点空间的大小、形状应根据高峰小时通行量、空间功能、视觉景观效果、商业定位等要求确定。

3 节点空间内宜设置楼梯、电梯、自动扶梯等交通设施以及服务台、卫生间、休息区等服务空间。

4 城市地下商业空间在人员密集处应设置集散空间满足人流集散、方向转换、空间过渡等需求,其建筑面积宜按 $0.5m^2/$ 人计算。

4.4.7 辅助用房可包括仓储用房、库房、设备用房、服务及管理用房,并应符合下列规定:

1 仓储用房应根据商业规模、经营需求设置周转库房及管理用房。

2 除大型设备用房外,应根据城市地下商业空间的小型固定设施及装饰构件的数量,配置一定规模的日常维修库房。

3 设备用房应布置在相对隐蔽的位置,其使用空间及交通流线应满足设备安装与维修的要求。

4 动力设备机房宜靠近负荷中心设置。

5 变配电间不宜设置在最底层。

6 消防控制室宜设置在地下一层。

7 消防泵房不应设置在地下三层及以下,或室内地面与室外出入口地坪高差大于 10m 的地下楼层。

8 产生噪声或振动的设备机房应采取消声、隔声和减振等措施;设备基座应进行隔振、减噪设计;设备机房的墙面、顶棚应采用吸声措施;门窗应具有密闭和隔声功能。

9 服务及管理用房中,服务问询、小件寄存、金融设施、通信设备、卫生间、休息区域等与顾客相关的服务空间应结合商业动线设置;内部办公、财务、员工休息等管理用房应集中设置在相对隐蔽的位置,独立进出。

4.4.8 服务设施应符合下列规定:

1 卫生间应符合下列规定:

    1)卫生间宜设置在节点空间内,与服务区及休息区相邻,并应均匀分布。卫生间的间距不宜大于 100m。上、下层的卫生间宜上、下相邻设置。

    2)男女卫生间宜成组设置,每组面积宜采用 $70m^2 \sim 100m^2$。1 组男女卫生间的服务面积不应大于 0.8 万 m^2;2 组男女卫生间的服务面积不应大于 1.8 万 m^2;3 组男女卫生间的服务面积不应大于 3 万 m^2。

    3)卫生洁具的数量应符合现行行业标准《城市公共厕所设计标准》CJJ 14 的有关规定。

    4)卫生间应设置独立的清洁工具间。

    5)城市地下商业空间应分别设置对外顾客卫生间及对内服务人员卫生间,并应设置卫生间引导标识。

    6)无障碍卫生间的设置应符合现行国家标准《无障碍设计规范》GB 50763 的有关规定。

2 休息区宜设置在节点空间内,与服务区及卫生间相邻。其大小应根据城市地下商业空间的定位确定,休息区面积与营业厅面积的最小占比宜采用 1.5%。

3 服务区应符合下列规定:

    1)城市地下商业空间应根据商业业态及商业动线的布局,在主要节点空间设置服务台,提供咨询、引导、包装、寄存等服务。

2）服务台、楼层入口、主要人行出入口应设置楼层信息图，标识商业动线、店铺分布、电扶梯、休息区、卫生间、疏散楼梯、服务台、客服电话等与顾客相关信息。

3）服务台附近宜设置物品自助寄存箱、银行柜机、公共电话等服务设施。

4）收银台的数量应满足顾客在购物高峰时快速结账要求，每位顾客结账时间不应大于 8min。

4.4.9 平面柱网布置应符合下列规定：

1 城市地下商业空间应根据规模、定位、经营方式、店铺布局、结构选型等因素综合考虑平面柱网尺寸。

2 单一型地下购物中心及地下商业街应按商业功能布局柱网，复合型地下购物中心应按主要使用功能布局柱网。

4.5 剖面设计

4.5.1 城市地下空间的竖向分层宜分为表层、浅层、中层和深层。表层宜作为城市市政管线的铺设，浅层宜作为城市地下商业空间的开发，中层及深层宜作为城市地下交通设施的设置。

4.5.2 城市地下商业空间的顶板与地面之间应留出满足市政管线埋设的距离，该距离不宜小于 3.0m，并应符合现行国家标准《城市工程管线综合规划规范》GB 50289 及当地规划部门的有关规定。当该区域没有市政管线或市政管线规划移入综合管廊，则该距离可减小。

4.5.3 城市地下商业空间顶板种植绿化时，顶板与地面之间应留出满足绿化种植的距离，种植小型乔木时，该距离不宜小于 1.5m，种植大型乔木时，该距离不宜小于 3.0m。绿化标高应低于相邻道路和场地，并应符合当地绿化部门的有关规定。

4.5.4 城市地下商业空间顶板应采取防水措施，防水做法应符合现行国家标准《地下工程防水技术规范》GB 50108 的有关规定。

当顶板上考虑绿化种植时,防水设计尚应符合现行行业标准《种植屋面工程技术规程》JGJ 155 的有关规定。

4.6 空 间 尺 度

4.6.1 城市地下商业空间的人行通道宽度应满足人流集散和行走的需要,其宽高比宜采用 1.5~2.0,其宽度宜采用 4.0m～6.5m。

4.6.2 城市地下商业空间的人行通道长度不宜大于 500m,当大于 500m 时,应设置转折空间或休息停顿的节点空间。

4.6.3 城市地下商业空间的经济型层高宜采用 5m～6m,展示厅、电影院、溜冰场等特定功能空间的层高宜采用商业空间标准层高的 2 倍～3 倍。

4.6.4 城市地下商业空间的营业厅净高宜采用 3.6m～4.5m;人行通道的净高宜采用 2.7m～3.3m;卫生间净高宜采用 2.5m～3.0m;管理用房净高宜采用 2.5m～3.0m;设备用房净高应根据最大设备的尺寸及安装操作需求而确定。

4.6.5 城市地下商业空间的店铺使用面积宜采用 50m^2～150m^2,店铺进深宜采用 8m～15m,店铺面宽与进深比宜大于 2:1 。

4.6.6 城市地下商业空间的中庭宽度宜采用 16m～18m;中庭周边回廊宽度宜采用 4m～5m;中庭内人行天桥宽度宜采用 3.5m～4.0m。中庭、休息区等服务空间的净空尺寸宜大于相邻的人行通道的净空尺寸。

5 建 筑 设 计

5.1 衔 接 方 式

5.1.1 城市地下商业空间应与周边地下交通设施、地下停车库等地下空间相互衔接,形成城市地下空间网络体系。

5.1.2 地下空间的衔接方式可分为通道连接、水平连接及垂直连接,并应符合下列规定:

    1 通道连接方式宜用于分期或同期建设的项目。连接通道高差小于 0.6m 时,宜采用坡道方式连接,高差过大时,可采用踏步、自动扶梯、升降平台等措施连接。

    2 水平连接方式宜用于同期建设的项目。接口宜采用共享的节点空间。当项目不能同步实施时,则先期开工的项目应做好接口的预留条件。

    3 垂直连接方式宜用于同期建设的项目。接口宜采用开敞空间并引入自然采光通风。

5.2 口部及节点设计

5.2.1 主要人行出入口应符合下列规定:

    1 主要人行出入口应根据周边环境、交通组织的要求设置,满足客流进出城市地下商业空间的便捷性及识别性。

    2 主要人行出入口不宜直接开设在城市次干道及以上级别的道路上,且应与城市道路、轨道交通、公交站点等交通设施相衔接。

    3 主要人行出入口和车辆出入口应分开设置,并应符合现行国家标准《民用建筑设计通则》GB 50352 的有关规定及当地城市规划部门的要求。

4 主要人行出入口作为客流进出城市地下商业空间的起止点,应与商业动线紧密相连。

5 主要人行出入口前应设置集散广场及非机动车的停放空间。集散广场面积宜采用 0.7m²/人～1.0m²/人计算。

6 主要人行出入口数量应根据项目的规模及建设条件确定,大于 5 万 m² 的城市地下商业空间宜设置两个及以上出入口,每个出入口宜开向不同方向,且出入口间距宜大于 50m。

7 主要人行出入口宜采用下沉式广场等室外开敞空间的形式。

8 主要人行出入口内宜设置电梯、自动扶梯等竖向交通设施。

9 主要人行出入口宜采用自然采光通风。

10 主要人行出入口内应设置导向标识。

11 主要人行出入口内、外口部 5m 范围内不得设置影响人员疏散的障碍物。

12 严寒及寒冷地区的主要人行出入口应设置门斗或风幕等设施。

5.2.2 安全出口应符合下列规定:

1 城市地下商业空间的安全出口数量、宽度、距离及形式应符合现行国家标准《建筑设计防火规范》GB 50016 的有关规定。

2 安全出口应沿商业动线均匀设置。

3 安全出口内、外口部 5m 范围内不得设置影响人员疏散的障碍物。

5.2.3 货物运输口应符合下列规定:

1 货物运输口宜设置在相对隐蔽、独立运营且与城市道路方便衔接的地方。

2 地下车库的汽车出入口可兼做货物运输口,其口部净高应满足货运车辆的高度要求。

3 货物运输口的数量及大小应根据货流量及货运管理模式

确定,1 个货物运输口的服务面积不宜大于 2 万 m²,货物运输口的间距不宜大于 500m。

4 货运方式宜采用货梯,每个货物运输口宜配置两台货梯。货梯前应留有货物周转空间。

5.2.4 下沉式广场应符合下列规定:

1 用于城市地下商业空间主要人行出入口的下沉式广场应设置在方便地面人流进出的地段。下沉式广场内宜设置休息、景观绿化、广告展示及标识等服务设施。

2 下沉式广场内宜设置自动扶梯,且宜采用两部一组。

3 下沉式广场用于防火分隔、安全出口时,应符合现行国家标准《建筑设计防火规范》GB 50016 的有关规定。

4 下沉式广场作为消防救援场地时,每侧开口宽度应大于15m,满足消防车的使用。

5 下沉式广场内应采取排水、挡水及防洪措施。

5.2.5 中庭应符合下列规定:

1 城市地下商业空间的商业动线过长时宜设置中庭。中庭的服务半径不宜大于 200m。

2 大型城市地下商业空间的中庭应有主次之分,其中,主中庭开洞面积宜大于 600m²,次中庭开洞面积宜采用 300m²～400m²。中庭面积不应小于疏散通道宽度 2 倍的平方和。

3 中庭开洞宽度宜大于 9m;中庭周围走道净宽不应小于4m;中庭内水平设置的连通桥的净宽宜采用 3.5m～4.0m。

4 主中庭两侧宜设置自动扶梯,且宜采用两部一组。

5 主中庭内宜设置观光梯,且宜采用两部一组。观光梯前应设置候梯空间,其净宽不应小于 5m。观光梯宜采用通透的围合结构形式。

6 主中庭内宜设置休息、景观绿化、广告展示及标识等服务设施。

7 中庭与周围连通空间的防火设计应符合现行国家标准《建

筑设计防火规范》GB 50016 的有关规定。

8 中庭顶部宜设置可开启的天窗,满足地下空间自然排烟的技术要求。

5.2.6 采光口应符合下列规定:

1 城市地下商业空间的采光口可分为天窗式及侧墙式。

2 采光天窗的开口宽度宜比下层楼板的开口四周各扩大不小于 0.8m。

3 采光天窗的受力结构应考虑广告展示等装饰物的安装条件,并应预留吊挂件及电动提升装置。

4 采光天窗宜设置电动遮阳装置。

5 采光天窗应进行节能设计。

6 采光口出地面部分的四周应设置防护措施及警示标志。

7 采光口的透光材料应方便清洁或选用具有自洁功能的材料。

5.2.7 通风口应符合下列规定:

1 城市地下商业空间的通风空调系统应设置进、排风口,其布局应避免发生气流的短路现象,且应采取防雨雪、防虫措施。

2 进风口的朝向宜迎向夏季主导风向,且其下边缘距离室外地坪不应小于 1m。

3 进风口宜结合敞口楼梯间、非机动车坡道等出地面构筑物设置。

4 排风口宜设置于年主导风向的下风向,且不宜朝向邻近建筑物和公共活动场所人员停留或通行地带。当无法满足时,其下边缘距离室外地坪高度不应小于 2m,并应做消声处理。

5 当进、排风口垂直相邻布置时,进风口应布置在排风口的下方,且低于排风口下边缘不宜小于 3m。当进、排风口在同一高度水平布置时,其水平距离不宜小于 10m。

6 当侧面开设通风口时,其四周 5m 范围内不应有阻挡通风气流的障碍物。当通风口设置于路边时,其下边缘距离室外地坪不应小于2m;当通风口设于绿地内时,其下边缘距离室外地坪不应小于1m。

7 当顶面开设通风口时,其四周宜设置不小于3m宽的绿篱。通风口下边缘距离室外地坪高度应满足防淹要求,且不应小于1m。

8 敞开式通风口出地面部分的四周应设置防护措施及警示标志。

9 当采用自然通风时,通风口宜设置风帽,风帽应分别采用进风型和排风型。

10 当采用自然通风时,通风开口有效面积不宜小于该房间地板面积的1/20,并应符合现行国家标准《公共建筑节能设计标准》GB 50189的有关规定。

11 通风口百叶安装方向应与气流方向一致,百叶角度宜采用0°～30°。

12 事故排风的通风口应符合现行国家标准《建筑设计防火规范》GB 50016的有关规定。

13 厨房应设置油烟净化设施,其排风口的设置应符合当地环保要求。

5.2.8 设备吊装孔应符合下列规定:

1 城市地下商业空间为满足大型设备的安装维修,应采用设备吊装孔或其他的设备运输方式。当采用吊装孔方式时,吊装孔宜在首次设备安装完毕后封堵,待下次维修时可再行开启。

2 设备吊装孔按照开孔位置不同应分为顶板式及侧墙式。

3 设备吊装孔应满足地下空间最大设备的运输要求,其开口尺寸不应小于最大设备(含包装)外边尺寸,且开口四周应各扩大不小于0.5m。

4 采光口、通风口、扶梯、汽车坡道等大型孔洞均可兼做设备吊装孔使用。

5 设备吊装孔投影下方不应设置固定设施,且应连通地下大型设备用房。

5.2.9 冷却塔应符合下列规定：

1 冷却塔应设置在通风良好的地方，并与周围环境相协调，其噪声应符合现行国家标准《声环境质量标准》GB 3096 的有关规定。

2 冷却塔宜布置在周边主要建筑物的冬季主导风向的下风侧及周边粉尘污染源的全年主导风向的上风侧。

3 冷却塔之间或冷却塔与其他建筑物之间的距离除应满足冷却塔的通风要求外，尚应满足防火防爆、管道安装及维修场地的需求。

4 多塔布置时，宜采用相同型号产品，且其积水盘下应设连通管。进水管和出水管上均应设电动阀。

5.3 物 理 环 境

5.3.1 城市地下商业空间的热湿环境应符合下列规定：

1 宜采用可控制的高效通风空调系统，改善室内空气质量及热湿环境。

2 宜采用自然通风，作为机械通风的补充手段。

3 当城市地下商业空间采用自然通风时，其通道宜贯通，并宜利用地形高差设置高低风口以利于自然通风的气流通畅。

4 当城市地下商业空间采用机械通风时，其风速、风量的标准以及风口的设置应符合现行国家标准《民用建筑供暖通风与空气调节设计规范》GB 50736 的有关规定。

5 围护结构应做到密闭、隔潮、防水，并宜采取保温措施。用水房间及设施应采取防潮措施。结露的冷水管及其他冷表面应采取防结露措施。

6 内部热湿环境设计参数的选取应结合工程所在地域的气候特点，在满足舒适度和工艺要求的前提下，降低空调供暖能耗，并应符合表 5.3.1 的规定。

表 5.3.1　城市地下商业空间营业区的热湿环境设计参数

指　　标		限　值
温度(℃)	冬季(供暖地区)	≥16
	夏季(空调场所)	26～28
相对湿度(%)		30～70
空气流速(m/s)		≥0.2
新风量[m³/(h·人)]		≥20

5.3.2　城市地下商业空间的室内空气质量应符合下列规定：

1　装饰装修材料的有害物质量应符合现行国家标准《民用建筑工程室内环境污染控制规范》GB 50325 的有关规定。

2　应采用下沉式广场、采光天窗等对外开敞的空间形式，引进自然空气。

3　新风系统应采用提高风速与风量等措施，改善室内气流组织，稀释和排除污染气体。

4　室内、外通风口应采用消声及过滤净化处理。

5　内部空气质量的控制指标应符合表 5.3.2 的规定。

表 5.3.2　城市地下商业空间内部空气质量控制指标

地下建筑类型	二氧化碳(体积)(%)	甲醛(mg/m³)	氨(mg/m³)	苯(mg/m³)	TVOC(mg/m³)	氡(Bq/m³)	菌落总数(CFU/m³)
地下商业设施	≤0.15%	≤0.1	≤0.2	≤0.09	≤0.6	≤400	≤4000
地下文化娱乐设施	≤0.15%	≤0.1	≤0.2	≤0.09	≤0.6	≤400	≤4000
地下体育设施	≤0.1%	≤0.08	≤0.2	≤0.09	≤0.5	≤400	≤4000

5.3.3　城市地下商业空间的光环境应符合下列规定：

1　应结合地形条件，采用自然采光方式降低室内人工照明能耗。自然采光时应采取遮光措施避免眩光，并应符合现行国家标准《建筑采光设计标准》GB 50033 的有关规定。

2　宜采用主动式采光系统引入自然光，改善室内光环境，减少人工照明能耗。

3 人工照明的照度、显色性以及视觉环境应符合现行国家标准《建筑照明设计标准》GB 50034 的有关规定。

4 照度标准不应低于同类型、同规模的地面建筑。各房间和场所的照明功率密度值不应高于现行国家标准《建筑照明设计标准》GB 50034 规定的现行值。

5 应利用人造光系统，模拟阳光的颜色、稳定性；并宜利用光的方向与强度的变化作为商业动线的引导标志。

6 人行主要出入口处应设置过渡照明，满足电气照明与自然光照的平稳过渡。

7 应采用高光效的光源，如荧光灯、高强度气体放电灯。连续调光、防止电磁波干扰、频繁启闭或特殊需要的场所可选用白炽灯或卤钨灯。

8 应急照明设施应符合现行国家标准《建筑设计防火规范》GB 50016 及《消防应急照明和疏散指示系统》GB 17945 的有关规定。

5.3.4 城市地下商业空间的声环境应符合下列规定：

1 室内允许噪声级、围护结构的空气声隔声标准、楼板的撞击声隔声标准应符合现行国家标准《民用建筑隔声设计规范》GB 50118 的有关规定。

2 有噪声和振动的设备用房与噪声敏感房间在同层平面宜分区布置；当不能分区布置时应采取隔声减振措施。

3 有噪声和振动的设备用房应采取隔声、隔振和吸声等措施，并应对设备和管道采取减振、消声处理。各类管道穿过楼板和墙体时，孔洞周边应采取密封隔声措施。对排水管道宜采取隔声包裹等降低噪声的措施。

4 对安静度要求高的房间应设置吊顶，其围合墙体应设置吸声材料，其隔墙应延伸至梁、板底面。

5.4 景 观 设 计

5.4.1 城市地下商业空间的室内景观应符合下列规定：

1 应采用尺度与比例、对比与统一、过渡与衔接等设计手段创造室内视觉空间。

2 应通过色彩、图案、质感的处理以及座椅、绿化、小品、灯具等装修装饰材料的选择营造室内环境氛围。

3 商业动线的节点处应设置开敞、立体、变化的空间组合，引入自然生态元素，创建室内绿化景观庭院。

5.4.2 城市地下商业空间的绿色生态环境应符合下列规定：

1 应采用自然通风、自然采光、室内绿化空间、天然导光技术等设计手段，达到绿色建筑倡导的低能耗及零能耗的目标。

2 应选择本土材料、新型绿色节能环保材料等室内装修材料，达到绿色建筑倡导的节约自然资源的目标。

3 应采用节能、隔声减噪等措施及节能型电梯、节能型灯具、节水型卫生洁具等设施，达到绿色建筑倡导的节约能源的目标。

5.5 安全防护设计

5.5.1 城市地下商业空间的防灾设计应包括火灾、水淹、风灾、地震、冰雪和雷击等灾害，并应坚持预防为主，"防、抗、避、救"相结合的原则。

5.5.2 城市地下商业空间属于人员密集型场所，其防火设计应符合现行国家标准《建筑设计防火规范》GB 50016 的有关规定，并应符合下列规定：

1 主体建筑的耐火等级应为一级，出地面构筑物的耐火等级不应低于二级。建筑构件的燃烧性能和耐火极限应符合现行国家标准《建筑设计防火规范》GB 50016 的有关规定。

2 与其相连的交通、市政、公共服务等其他功能单元应划分为不同的防火分区。两者的疏散设施应独立设置。

3 严禁经营和储存火灾危险性为甲、乙类商品。

4 商业、餐饮、娱乐等不同功能单元应划分为不同的防火分区，其防火、防烟分区设计应符合现行国家标准《建筑设计防火规范》GB 50016 的有关规定。当地下商业总建筑面积大于 2 万 m²时，应按现行国家标准《建筑设计防火规范》GB 50016 的防火分隔措施进行防火分隔。

5 安全出口数量、疏散宽度、疏散距离、疏散门大小等安全疏散设计应符合现行国家标准《建筑设计防火规范》GB 50016 的有关规定。

6 商业的疏散人数计算应符合现行国家标准《建筑设计防火规范》GB 50016 的有关规定，并应按每层营业厅的建筑面积与人员密度的乘积计算。

7 餐饮的疏散人数计算应符合现行国家标准《建筑设计防火规范》GB 50016 的有关规定，作为有固定座位的场所，其疏散人数可按实际座位数的 1.1 倍计算。

8 疏散通道及疏散口部不得设置影响人员疏散的障碍物。

9 室内装修的顶棚、墙面、地面材料应采用 A 级装修材料，其他部位应采用不低于 B1 级装修材料。装修材料的选用应符合现行国家标准《建筑内部装修设计防火规范》GB 50222 的有关规定。

5.5.3 城市地下商业空间的防洪防涝应符合下列规定：

1 防洪标准、防洪标高、排涝标准及雨水设计流量标准应符合现行国家标准《城市防洪工程设计规范》GB/T 50805 的有关规定。

2 场地标高宜根据城市防洪标准适当提高，出入口与周边场地衔接段应设置反坡或台阶，其高差不应小于 0.3m。

3 城市地下商业空间的排涝和防雨水设计应符合下列规定：

　　1）下沉式广场及敞开式出地面构筑物应采取防止雨水倒灌及将倒灌雨水排出的措施。

　　2）下沉式广场及敞开式出地面构筑物的雨水量设计应按当地 50 年一遇的暴雨强度计算。

　　3）当采用敞开式低风口时，其下边缘距离室外地坪不应小于 1m。

5.5.4 城市地下商业空间的防水应符合下列规定：

1 地下围护结构的外轮廓宜减少凹凸变化，其外防水设计应符合现行国家标准《地下工程防水技术规范》GB 50108 的有关规定。

2 城市地下商业空间的挡水系统应符合下列规定：

1）出入口标高应高于周边防洪水位 0.8m 以上，且高出周边市政道路标高 0.6m 以上。

2）通风口及采光口的开口下边缘距离室外地坪不应小于 1m，并应满足当地防洪要求。

3）当出入口、通风口及采光口无法满足防洪安全超高要求时，应设置临时挡水措施，其高度可根据当地最高积水位确定。

3 城市地下商业空间的排水系统应符合下列规定：

1）下沉式广场及敞开式出地面构筑物的底部应设置独立的截水沟、集水井等排水措施。

2）变形缝附近宜设置截水沟或集水井。

3）标高最低的集水井内应设置水位探测及提升装置，报警信号应引至物业管理中心。

4）排水应采用水泵提升方式。

4 城市地下商业空间的配电房、发电机房、消防泵房等重要设备用房，宜高于周边地面标高，且周围区域宜设置集水井及强排泵等排水设施。

5.6 无障碍及导向标识设计

5.6.1 城市地下商业空间应符合现行国家标准《无障碍设计规范》GB 50763 的有关规定。

5.6.2 城市地下商业空间应设置 1 部及以上的无障碍电梯，其服务半径不宜大于 100m。应设置 1 处及以上的独立式无障碍卫生间,其服务半径不宜大于125m。对于有高差的区域应设置无障碍坡道。

5.6.3 城市地下商业空间应设置导向标识系统指导商业行为流线、服务流线及疏散流线的设计。标识系统应根据导向信息需求分析进行信息分类和分级;标识类型应符合现行国家标准《公共建筑标识系统技术规范》GB/T 51223 的有关规定;消防疏散标识的设置应符合现行国家标准《消防应急照明和疏散指示系统》GB 17945 的有关规定。

5.6.4 常用的导向标识应包括方向标识牌、路线导向图、楼层信息图、限制性标志、紧急疏散标志、触摸标志、语音标志及其他多媒体标志等。

5.6.5 导向标识应采用清晰、醒目、简洁、易懂的文字、图形、符号、色彩等元素设计,且宜采用光电式标识。

5.6.6 导向标识的大小应与所处场所的空间尺度相协调。

5.6.7 城市地下商业空间导向标识点位的设置应符合下列规定:

 1 人员流线的起止点、转折点、交叉点等人流停顿、转折的地方应设置导向标识点位。

 2 扶梯的起止点、每层楼梯间的口部应设置导向标识点位。

 3 在不同功能区域以及地下空间的过渡区域应设置导向标识点位。

 4 在连续通道范围内,导向标识点位间距应考虑其所处环境、标识大小与字体、人流密集程度等因素,且其间距不应小于50m。

本导则用词说明

1 为便于在执行本导则条文时区别对待，对要求严格程度不同的用词说明如下：

1）表示很严格，非这样做不可的：
正面词采用"必须"，反面词采用"严禁"；

2）表示严格，在正常情况下均应这样做的：
正面词采用"应"，反面词采用"不应"或"不得"；

3）表示允许稍有选择，在条件许可时首先应这样做的：
正面词采用"宜"，反面词采用"不宜"；

4）表示有选择，在一定条件下可以这样做的，采用"可"。

2 条文中指明应按其他有关标准执行的写法为："应符合……的规定"或"应按……执行"。

引用标准名录

《建筑设计防火规范》GB 50016

《建筑采光设计标准》GB 50033

《建筑照明设计标准》GB 50034

《地下工程防水技术规范》GB 50108

《民用建筑隔声设计规范》GB 50118

《公共建筑节能设计标准》GB 50189

《建筑内部装修设计防火规范》GB 50222

《城市工程管线综合规划规范》GB 50289

《民用建筑工程室内环境污染控制规范》GB 50325

《民用建筑设计通则》GB 50352

《民用建筑供暖通风与空气调节设计规范》GB 50736

《无障碍设计规范》GB 50763

《城市防洪工程设计规范》GB/T 50805

《公共建筑标识系统技术规范》GB/T 51223

《声环境质量标准》GB 3096

《消防应急照明和疏散指示系统》GB 17945

《室内空气质量标准》GB/T 18883

《城市公共厕所设计标准》CJJ 14

《车库建筑设计规范》JGJ 100

《种植屋面工程技术规程》JGJ 155

中国工程建设协会标准

城市地下商业空间设计导则

T/CECS 481-2017

条 文 说 明

目　　次

1 总　则

1.0.1　根据中国工程建设标准化协会（建标协字〔2015〕044 号）《关于印发〈2015 年第一批工程建设协会标准制订、修订计划〉的通知》的要求，制定本导则。

1.0.2　参照国家标准《民用建筑设计通则》GB 50352—2005 第 1.0.2 条"适用于新建、改建和扩建的民用建筑设计"制定本导则的适用范围为：广场、停车场、道路、绿地、公园等城市公共用地的地下，相对独立的新建、改建和扩建的以零售及餐饮功能为主、娱乐及健身、休闲功能为辅的城市地下商业空间。同时，当地面建筑的地下设置有大型商业空间时，其设计也可按本导则执行。

3 基 本 规 定

3.0.1 城市地下商业空间项目应充分利用有高差的地形,创造自然通风采光的条件,因地制宜,节约开发成本,提高土地利用率。

3.0.2 考虑到城市地下商业空间开发建设的前期投资大,投资回收期长,后期运营和维护成本较高,一旦建成,其改造和拆除的代价大,因此其开发建设应立足全局、循序渐进,按照分期、分批的建设时序,为未来预留发展空间,实现地下空间开发的可持续发展。

3.0.3 城市开发强度大的区域聚集了经济和规模效应,其商业需求大、人均消费高,因此这些区域的土地价值也高,开发商会对其地上及地下空间共同开发,同时这些区域也会配建一定规模的城市公共交通设施(包括轨道交通设施),这些地下项目如果采用同步实施则对区域内交通及环境的影响会最小。

3.0.5 城市地下商业空间的定位决定着项目的成败,一个成熟的开发商,应在项目前期聘请咨询策划公司进行项目的策划定位,从宏观和微观的市场调研入手,再到地理位置、周边交通、消费群体、商圈状况、产品档次等分析,最终开发适宜的地下商业项目。

一般情况下,周边消费群体的层次决定其消费能力的大小以及商品档次的高低。同时,用地的使用性质不同也决定其建筑形态不同,从而影响项目的定位。例如:地下商业街因空间局限性而制约其商业形态,但地下商业街往往拥有与城市地下交通设施或者与周边地下空间便捷连通的优势,使它具有一定规模的客流量和商业价值。但这些客流的商业行为多属于无目的性的顺带行为,因此其商业布局常采用小型零售店的模式,商业品种多以日常百货店、杂货店、零食店、快餐店等为主。同时,地下商业街土地属于城市公共设施用地范围,因此这类商业多数是没有产权、只有使用权,这就决定其经营者只能采用自主运营和管理的模式,上述因素都决定着地下商业街的定位只能是以小型零售店为主的中低端商业。

3.0.6 一般情况下,项目所处区位的重要性决定其客流量的多少及建设规模的大小;周边的交通状况的好坏,决定其客流回头率的高低;周边商业密度的大小,决定其同类商品总销售额的多少。根据经验,对于大型城市而言,城市级别的商业项目规模一般在 10 万 m² ~ 30 万 m²,服务范围可以辐射全市;区域级别的商业项目规模一般在 5 万 m² ~ 15 万 m²,服务半径在 3km ~ 5km;社区级别的商业项目规模一般在 1 万 m² ~ 5 万 m²,服务半径在 1km ~ 2km。

3.0.7 根据现行国家标准《民用建筑设计通则》GB 50352 规定的民用建筑使用年限的 4 个级别的划分,把城市地下商业空间的设计使用年限归为二级标准,使用年限不得少于 50 年。

3.0.8 为了保证建筑安全性和城市空间的视觉效果,在综合考虑市政设施的布局、公共交通空间、人行通道、防灾救灾通道、建筑日照间距、道路拓宽条件、城市景观空间、河流湖泊及历史文物保护等多方面因素的需求下,每个城市的规划管理部门在建设项目的规划意见书中对地面建筑会提出具体的退线要求。地下空间项目原则上应与地面建筑的退线要求相一致,但考虑到地面建筑的退线多以城市空间的视觉效果为主要出发点,因此地下空间的退线标准应从实际出发,综合考虑其施工安全、市政管线布局、对周边建筑结构的影响以及城市景观绿地的要求,地下空间的外围护结构应后退用地控制线的最小距离为 5m。

3.0.9 根据现行国家标准《民用建筑设计通则》GB 50352 有关建筑突出物的退线要求,规定地下空间的地下挡土墙、底板、基础、围护桩和自用管线等地下建筑物/构筑物及附属设施以及出入口、通风口、采光口、集水井等出地面建筑物/构筑物及附属设施不得突出用地界线,对于地下空间项目而言,用地界线即地下空间控制线。

3.0.10 每个城市的规划管理技术规定都对商业配建停车指标有一定要求,城市地下商业空间项目也应处理好商业与停车的关系。一般情况下,中小型项目的停车库常设置在城市地下商业空间的下方,大型项目的停车库常与城市地下商业空间平行设置。

3.0.11 大多数地下空间项目都是全埋式地下结构,土壤可以帮助减少地下空间外围护结构的传热,从而保证地下空间的恒温效果。土壤的平均导热系数约为:春季 0.27W/(m·K)、夏季 0.38W/(m·K)、秋季 0.55W/(m·K)、冬季 0.83W/(m·K),同时 300mm 以下深层土壤的热通量变化缓慢,属于比较好的天然保温材料。一般情况下,有一定覆土厚度的地下空间不再考虑增加保温层的设置,目前地下室构造做法中,保温层的设置是为了保护地下空间外围护结构防水材料的使用寿命。

根据现行国家标准《公共建筑节能设计标准》GB 50189 的规定,寒冷地区室内地面及周边地面的热阻值为 1.5,夏热冬冷地区热阻值为 1.2。因此,在寒冷地区应根据地下空间覆土层厚度、外围护结构的构造措施进行外围护结构的节能计算,确定是否需要增加外围护结构的保温层设置。对于一些利用高差地形创建的半地下空间的外围护结构以及出地面构筑物(如出入口等),其直接接触室外空气的围护结构应考虑保温措施,满足节能设计标准。

4 布局要素

4.1 商业业态

4.1.1 商业业态是针对消费者的特定需要而提供销售和服务的类型化经营形态,传统商业分为百货店、超市、便利店、专业市场、专卖店、购物中心和仓储式商场等形式。目前开发建设的城市地下商业空间的商业类型,一般分为百货零售、餐饮、文化娱乐及生活服务类。根据目前市场调研及项目分析,其中百货零售功能约占40%、餐饮功能约占30%、娱乐休闲功能约占30%。随着社会经济、科技与生活水平的发展,各种类型的商业业态的权重占比不断地变化,例如,网店的蓬勃发展使原先占主导地位的百货零售类实体店的需求逐年减少,高科技水平的发展使文化娱乐的影院、KTV、书店等需求减少,生活水平的提高使健身运动的需求增加,同时,生活水平的提高使餐饮逐渐趋向快餐业为主等。城市地下商业空间开发项目的商业业态的选择应与时俱进,有超前意识,商业空间的布局应变通性强,适应未来商业业态的调整转换。

4.1.2 城市地下商业空间中占地面积大、经营综合商品的购物空间称为主力店,它是吸引商业客流、决定商业定位及效益的主要商业形式,目前常用的主力店包括百货和超市。专卖店是专门经营或授权经营某一品牌商品的购物空间,其营业面积根据经营商品的特点而定。

4.1.3 根据目前市场调研,正餐业按照提供食物的档次及就餐环境分为高、中、低三档,营业面积从 $50m^2 \sim 1000m^2$ 不等,往往是档次越高、面积越大、就餐环境越舒适。快餐业因其快捷优质的管理及服务、物美价廉的高性价比,日渐成为餐饮业的主流,一般营业面积为 $200m^2 \sim 500m^2$,宜采用连锁店的模式,开设在写字楼、商务中心等人流聚集的区域及大型购物中心内,共享商业客流,提高商业价值。其他餐饮类型包括酒吧、咖啡馆、茶馆、面包房、茶餐厅等,营业面积不大,多独立设置,以就餐环境取胜。

4.1.4 文化娱乐种类繁多,宜设置在大型购物中心内,为商业带来新的客流并活跃商业气氛。

4.1.5 生活服务类商业业态多独立设置,营业面积从 $50m^2 \sim 200m^2$ 不等,其中美容美发类占比最高。宜开设在居住区附近,方便居民日常生活使用。

4.2 建 筑 形 式

4.2.1 随着社会经济的发展、人类商业活动需求的增加,商业的建筑形态从自然分布的沿街设店,到相对集中的街市和集市,最终发展到近现代的专业市场和购物中心。为了迎合购物者对商品多样性的需求以及对购物环境品质的追求,最大化的体现商业效益,商业的建筑形态逐渐由分散型变为相对集中型,目前以大型购物中心为主。

对于地下空间而言,考虑到地下空间的局限性及地下结构的经济性,城市地下商业空间不宜做成分散的布局方式,宜采用相对集中的购物中心的布局方式。另外,地下空间尚存在一种特定的在道路下开发的以交通功能为主的地下空间形式,因地下交通带来商机而发展成为地下商业街。

4.2.3 地下购物中心常包含多种类型的商业业态、交通设施及配套健全的服务设施,是城市地下商业空间的主要形式。根据目前市场调研,商业中心按规模及服务半径分为三类,其中,小型购物中心主要提供日常生活用品的购物服务,中型购物中心提供多种商品的购物服务,而大型购物中心(又称为 shopping mall)提供多种商品的购物以及餐饮、娱乐休闲服务。

4.2.4 一般情况下,地下商业街中商业面积占比约 50％、交通面积占比约 35％、辅助面积占比约 15％。

4.2.5 交通型地下商业街是以人行交通为主要功能的地下商业街,常常设置为一条商业街,宜与地下交通设施相连,作为地下交通设施出入地面或连接其他地下建筑的通道。

商业型地下商业街是以商业为主要功能的地下商业街,有的是由一条商业街构成,有的是由多条商业街相互交叉组合而成。多设置在城市道路、地面建筑组团之间的地下,作为区域内商业需求的补充。

4.2.6 从商业街发展规律看,非步行化的商业街可以稍长些,步行化的商业街则短些。商业街的长短,与商业功能定位、步行者的心理距离、配套服务设施水平等相关。

根据人体工程学原理,人能够步行 20min 左右时间不休息,人的步行速度一般为 4km/h~7km/h,推算出人适宜的步行距离为 1300m~2300m。

根据实际案例分析:英国伦敦的牛津街长约1250m;日本东京都新宿大街长约 900m;韩国首尔的明洞商业街长约 1500m;巴黎香榭丽舍大街的西段长约1180m 等。大多数成功商业街的长度都在 500m~1500m。

经过专家测试认为,对于一般人而言,走 2600m~2700m 时腿会有点酸;走到4000m 时会感到累;走到 6000m 时会筋疲力尽。因为人们逛商业街时,走的是"之"字型路线,加之店内的步行距离,人要逛完一条商业街,至少是步行街长度 4 倍以上距离。因此,步行街长度最好不超过 1500m。

据《北美大城市中心区步行街区的发展与规划》一文介绍,美国大部分城市的步行区在任何方向上的长度一般不超过 500m,这是步行者愿意徒步行走的最大距离。步行区很大时,可采用设置辅助交通设施的方式,如自行车、迷你车等。

4.3 流 线 组 织

4.3.1 交通流线组织是城市地下商业空间中各种功能空间合理

布局及灵活组合的关键因素,也是地下空间安全性、便捷性、高效性的重要保证,好的交通流线的设计可以使建筑、人与环境和谐统一,也决定着商业投资价值的回报率的高低。城市地下商业空间流线组织的设计合理与否,直接影响到整个项目的工作效率及运转水平,它包括顾客的购物流程、商品的运输线路以及地下防灾疏散等多方面内容,是方案设计首先需要确定的内容。对于平面的各种流线设计,应做到内外分开、少交叉、易识别、简洁流畅、杜绝死角、减少走回头路,创建舒适合理的交通环境。

4.3.3 城市地下商业空间的对外交通流线组织是通过与外部的交通设施(如:通道、出入口、竖井、楼电梯等)及配套的标识、设备系统的衔接,解决地下空间的人流、物流的进出问题。安全、合理而便捷是重要的设计原则。其中人员流线主要解决客流的购物及疏散需求,货运流线主要解决货物从地面进出地下空间的问题。

4.3.4 人员疏散流线设计是城市地下商业空间的主要安全保障措施,应保证疏散导向的准确性、疏散方式的便捷性、疏散距离及宽度的合理性,使客流方便进出,并保证把地下客流快速疏散至安全区域。

当城市地下商业空间设置大型影院、体育设施、娱乐设施时,应设置独立的出入口、集散空间及相对独立的人员流线。当城市地下商业空间设置餐饮功能时,应设置独立的出入口、集散空间及相对独立的厨房内部流线及厨房垃圾流线。

4.3.5 城市地下商业空间的物流量较大,货运流线布置的合理顺畅是商业品质的保障,包括地面卸货区、货梯、中转库房及货运通道,其中地面卸货区主要解决货物从地面运送到中转库房,货运通道主要解决货物从中转库房运送到每个商业店铺。货运流线应尽量减少与商业行为流线的交织,货运区宜设置在相对隐蔽的地方,同时还要考虑货梯出地面后与城市道路的方便衔接。

4.3.7 城市地下商业空间存在大量的商业垃圾及生活垃圾,因此需要设置垃圾清运流线,其中地下集中垃圾收集房的职责是收集每个商业店铺的垃圾，集中存放，收集分类整合后，每天定时由货梯运至地面，再由垃圾车运走。因此垃圾收集房的设计最为重要，其位置既要方便垃圾运输、缩短运输距离，又要考虑设置在相对隐蔽的地方。

4.3.8 城市地下商业空间的对内交通流线组织是通过穿插在地下空间内部的交通设施（如：走道、连廊、楼电梯等）及配套的标识系统，解决地下的人流与物流的交织问题。合理、舒适而高效是重要的设计原则。其中，商业动线是设计的灵魂，直接影响购物行为的效率及营业效益，而服务流线则是设计的根本，其便捷不张扬是商业项目高效运转的最佳体现，同时影响着商业项目的品质与成败，在方案设计中应加以重视。

4.3.9 商业动线为城市地下商业空间的顾客串联起所有商业店铺及配套服务设施，好的商业动线是让顾客在不走回头路的情况下，在所有店铺中长时间的停留，好的商业动线可加强所有商业店铺的可见性、可达性及可追溯性。

商业动线按线形分为单一型及复合型。其中单一型（一、L、T、O字型等）适用于中、小型城市地下商业空间，购物路线单一明确，秩序感强，可通过曲直动线相结合来创造空间的生动性及趣味性，增加商业空间的活跃气氛。复合型（网状、自由型等）适用于大、中型城市地下商业空间，购物路线丰富多变、灵活性强，商业空间利用率高，可通过增加中庭等节点空间来营造良好的秩序感及舒适性，减少购物盲点和死角。

4.3.11 水平交通流线是指城市地下商业空间中同一楼层的横向流线组织，包括商业动线、服务流线以及货运、物业管理的流线，确保各种流线各行其道，减少交叉，避免互相干扰。垂直交通流线是指城市地下商业空间中不同楼层的竖向流线组织，并与各楼层水平交通流线紧密相连，确保整个地下空间的商业动线的完整性。

4.3.12 城市地下商业空间中垂直交通设施是商业动线的基本节点元素，更是地下防灾疏散的必要手段，其布局的合理便捷决定了商业的购物效率及顾客的生命安全,在满足相关规范的基础上,均匀分布及舒适、便捷是设计的首要原则。垂直交通设施包括自动扶梯、垂直客梯、楼梯及货梯,其中自动扶梯为购物行为的主要交通工具,楼梯为防灾疏散的主要交通工具,而垂直客梯更多的体现为运送客流的补充作用,货梯服务于商品货物进出地下。

4.3.13 考虑到火灾发生时,楼梯为人员疏散的主要途径,与楼梯相连的地下通道的畅通决定着人员疏散的速度,尤其是在楼梯口部附近,有安全疏散门及楼梯的过渡,人员的疏散速度会较慢,因此限定楼梯门外 5m 范围内不得设置障碍物,用作疏散的缓冲空间。

4.3.14 自动扶梯的布置方式包括平行式、交叉式、接力式及跨层式,其中,平行式扶梯布置可减少对店面的遮挡,同时迫使顾客沿着商业动线绕行;交叉式扶梯布置会遮挡部分店面,但顾客的垂直交通路线是连续的;接力式扶梯布置适合大型商业空间,迫使顾客跟随商业动线往前平移,提高商业店铺的均好性;跨层式扶梯布置适合大型多层商业空间,采用直接跨越两层或多层的长扶梯,便于顾客快速到达高区,提升高区的商业价值,创造高中庭的环境效果。

4.4 平面布局

4.4.1 商业空间形式的选择应按自身特色、规模、定位、购物群体、商业业态等多方面因素的分析,选择适宜的平面布局形式。

4.4.3 营业空间是商业项目的根本及商业利润的直接体现,其布局、环境、品质影响着商业收益的高低,目前在设计中常采用的营业空间包括主力店、营业厅、店铺、开架柜台、移动柜台等营业形式,往往大型商业空间由多种营业空间组成,小型商业空间由一种营业形式为主。

4.4.4 主力店的布局直接影响项目的商业定位,是城市地下商业空间客流的主要来源。百货作为主力店的主要商业模式,一方面能吸引大量的稳定客源,另一方面由于其具有较大的体量和规模,对大进深、端头空间等地下消极空间的处理有积极改善的作用。

4.4.6 节点空间设计应综合考虑防灾疏散距离的规范要求、人的步行距离的心理需求、商业品质与环境的舒适性要求等多方面的因素,在使用功能及环境氛围上与商业定位一致,共同提升商业的投资价值。

4.4.9 地下购物中心的柱网布置首先应分析其所包含的各种使用功能以及周边的地下结构情况,然后再以主要的使用功能及制约因素确定合理的柱网。

一般来说,单一型地下购物中心常采用 9m×9m 的商业经济型柱网,与地下车库结合设置的复合型地下购物中心常采用 8.4m×8.4m 的车库经济型柱网。

地下商业街的柱网布置首先应根据其交通客流量确定人行通道的合理宽度,然后再根据地下商业街的总宽度确定单通道、双通道等平面布局形式,最后确定平面柱网。人行通道的宽度需根据预测客流量计算确定,一般情况下,以购物为目的的人行通道宽度宜采用 4.0m~6.5m,以交通为目的的人行通道宽度宜采用 6m~8m。当与地下车库混合布置时,平面柱网尚应满足车库经济型柱网要求。

4.5 剖 面 设 计

4.5.1 城市地下空间竖向布局与人们对城市垂直方向空间区位的集聚密切相关,为了科学合理地开发利用城市地下空间资源,根据我国城市规划建设与发展需要以及技术经济发展水平,宜将城市地下空间资源按竖向开发利用的深度进行分层,一般可分为表层(0~-3m)、浅层(-3m~-15m)、中层(-15m~-40m)和深层(-40m以下)。

4.5.2 城市地下商业空间顶板与地面之间应留出满足各类市政管线埋设的距离,一般情况下,各种市政管线在道路下的埋深,从上至下顺序依次为电力管（沟）、电讯管（沟）、煤气管、给水管、雨水管、污水管。电力、电信一般设置管沟。其中 DN100～DN200 给水管道最小埋深 0.8m，DN200～DN300 给水管道最小埋深 1.0m、DN400～DN500 给水管道最小埋深 1.5m，DN600～DN1200 给水管道最小埋深 2.0m，雨水管道最小埋深 1.0m、污水管道最小埋深 2.0m。考虑到雨、污水管为重力管，其埋深会因管线的排水坡度而不同，因此本导则在所有管线最小埋深的基础上规定，地下建筑顶板与市政道路地面的高差不宜小于 3.0m。

4.5.3 城市地下商业空间顶板的绿化种植面积，当作为项目的绿化面积指标时，应按当地绿化部门的规定，覆土厚度达到一定尺寸才能作为 100% 或 50% 的绿化面积计算标准。如果仅考虑绿化种植的需要，一般情况下，覆土厚度 200mm～300mm 可植草、450mm～600mm 可种植灌木、0.9m～1.5m 可种植小乔木，对于温暖潮湿地区，覆土厚度 1.5m 及以上可种植大乔木，对于严寒地区，覆土厚度达 3.0m 及以上才能种植大乔木。因此，每个地方应根据当地的气候条件选择适宜的绿化种植的覆土厚度。

4.6 空 间 尺 度

4.6.1 参考人体工程学研究的数据，据统计 2013 年中国男性平均身高 1.717m，人直立上举双手最高约 2.2m，而商业规范中规定双向四人走道宽≥3.0m，走道高≥2.4m。考虑到城市地下商业空间中人行通道部分不仅仅满足交通功能，尚包含对通道两侧店铺的观赏、浏览等视觉体验需求，因此人行通道的净空尺寸宜控制在 2.7m～3.3m。据相关研究，人行通道宽高比在 1.5～2.0 时，具有最佳宜人的尺度感，宽高比大于 2.0 时，空间的封闭感减弱，使人只关注通道一侧的物体。据此研究计算出通道宽尺寸宜控制在 4.0m～6.5m，这一宽度正好也符合人体工程学研究表明的陌生人的公共距离为 3.6m～7.5m 的数据范畴。

4.6.2 城市地下商业空间为创造丰富的空间氛围及舒适的商业

环境,应结合动态的交通流线适当组织静态的休闲节点,以满足人的生理及心理需求,这些节点空间应包括问询、交流、引导、休息、交通等服务功能。根据人的舒适的步行距离,青年人为 500m、老年人和小孩为 400m,考虑到城市地下商业空间的客流主体以青年人居多,因此人行通道长度宜控制在 500m。

4.6.3 城市地下商业空间的层高由营业厅净空尺寸+结构梁板高度+设备管线高度+吊顶构造厚度+地面装修厚度之和确定。在地下空间的各层营业厅净空需求相同的情况下,由于地下结构顶板上荷载分布情况复杂,地下一层的结构梁板高度往往大于其他楼层,因此地下一层的层高为最大,其他各层的层高应大致相同。

但尚需注意的是,当地下空间中有大型设备安装时,其所需净空高度也可能大于营业厅净空尺寸,因此,确定地下空间的层高因素需同时考虑人的行为需求、心理需求、商业档次以及设备的安装使用需求。

一般情况下,地下空间采用框架结构,地下空间的经济型柱距常采用 7.5m～9.5m,由于地下空间顶板可能是建筑物也可能是覆土,建筑可高可低,覆土可厚可薄,因此地下空间的结构梁板高度因计算荷载取值不同而在 0.6m～1.8m 不等。地下一层的结构梁板高度偏上限,地下二层及以下各层的结构梁板高度偏下限。

地下空间的公共部分的吊顶内主要管线包括风管、喷淋管、电缆桥架等设备管线,各种设备管线的走行方向有平行也有交叉。其中风管尺寸最大,往往决定着吊顶的总控制高度,同时,各种设备管线相互交叉的总高度也影响着吊顶的总控制高度,因此各种设备管线在控制自身尺寸大小的同时,尽量平行铺设,采用每次两种管线交叉,减少多种管线在同一位置相互交叉的情况。实际案例中,设备管线总高度常控制在 1.0m～1.5m。

城市地下商业空间为营造独特的视觉效果,天花吊顶的造型及构造五花八门,无定式可言。天花吊顶的构造除了吊顶材料本身外,尚包括灯具、风口、喷淋头、监控探测头、广播喇叭等设备终端,除了某些地下空间追求大型的立体天花吊顶造型外,一般的水平天花吊顶厚度常控制在 0.15m～0.25m。

城市地下商业空间为体现商业环境的品质及档次,地面装修材料从地砖、木地板、人造石到天然大理石,无奇不有,构造做法也不相同,甚至有的设备管线需要埋地铺设而采用架空地面做法。一般情况下,地面装修厚度常采用 0.1m～0.25m。架空地面装修厚度常采用 0.3m～0.6m。

综上所述,除了追求高大立体空间效果的项目外,城市地下商业空间的层高常控制在 5.35m～8.0m。地下一层的层高取值偏上限,地下二层及以下各层的层高取值偏下限。一般情况下,经济型层高宜采用 5m～6m,当大型城市地下商业空间项目中设置展示厅、电影院、溜冰场等特定功能空间时,宜采用商业空间标准层高的 2 倍～3 倍。

4.6.4 一般情况下,人们在自然尺度的室内环境中感觉最佳,地下空间过于低矮、拥挤会让人感觉压抑不舒服,同时也造成室内管线安装空间不足,从而降低地下空间的品质;而地下空间过于高大、宽敞则会让人感觉空旷不安全,同时净空过于高大也会增加设备能源的消耗,浪费地下空间资源,增加投资成本。

城市地下商业空间中营业厅面积相对较大,需要宽敞而高大的空间来展示、欣赏及购买商品,满足人的购物心情,因此营业厅净空尺寸往往比相邻的人行通道的净高尺寸大。一般情况下,营业厅净空高度尺寸宜采用 3.6m～4.5m,大型规模的商业偏上限,小型规模的商业偏下限,定位高的商业偏上限,定位低的商业偏下限。

城市地下商业空间中尚存在大量的配套服务设施空间,如卫生间、设备用房、管理用房等,其中卫生间为对外使用,考虑到卫生间中卫生洁具多且尺度小,因此卫生间整体空间的尺度不宜过大,其净空符合人性化需求为最佳。一般情况下,卫生间净空尺寸宜采用 2.5m～3.0m。设备用房净空尺寸需按照设备净高要求确定。管理用房为内部人员使用,净空尺寸宜采用 2.5m～3.0m,满足使用功能即可。

4.6.5 商业店铺单位面积的租售金是城市地下商业空间开发成功与否的重要标志,一般情况下,面积为 50m² ～150m² 的店铺出租率最高。另外,商业店铺的开间及进深也决定着店铺的商业价值,其中,店铺进深愈大,店铺出租率愈低,同时对消防疏散也不利,一般情况下进深宜采用 8m～15m。

4.6.6 中庭的适宜尺度可起到聚集客流、吸引人气、创造商业品质、营造商业气氛的功效,同时考虑人的心理因素,中庭、休息区等服务空间的净空尺寸应尽量放大,以大于相邻的人行通道的净空尺寸为宜。

5 建筑设计

5.1 衔接方式

5.1.1 城市地下商业空间应与周边的地下建筑、轨道交通车站、地下过街人行通道、地下停车场、地下人防工程等地下资源进行整合，相互贯通，形成地下空间网络体系，同时与城市广场绿地相互衔接，在地下实现换乘、购物、餐饮、娱乐等多种功能于一身的综合体，缓解地面交通、增加地面休闲空间、提高土地的使用价值，使地下商业规模及利益最大化，这也是城市发展的必然结果。

5.1.2 地下空间网络体系不可能一次建成，需根据各种地下功能的建设及投资分期实施，最后再相互连通而成。因此需要在前期规划阶段做好其相互衔接口的预留条件，通过踏步、坡道、垂直交通等处理手法来连通地下空间，达到通畅及便捷的目标。

    1 通道连接方式是指两个地下空间通过通道连接，它是所有地下空间连接方式中最常用、最灵活的接口方式。该通道连接的两侧地下空间的楼面可以是同一标高或不同标高，该通道可与地下主体同步实施，也可分期实施。连接通道高差可通过坡道、台阶、升降梯、自动扶梯等方式解决。

    2 水平连接方式是指两个同层地下空间通过共享空间水平连接，它是所有地下空间连接方式中最理想的接口方式，能最人性化的体现地下空间的客流组织。这种连接方式，需要在项目的建设规划与实施过程中做好结构沉降及防水构造的处理。两个相连的地下空间可同步实施，也可分期实施。当项目不能同步实施时，则先期开工的项目必须做好接口的预留工作。

    3 垂直连接方式是指两个不同层地下空间通过竖向交通设施垂直连接，它是在两个地下空间存在较大高差时的连通方式，综合考虑施工难度及成本,这种连接方式宜采用同步实施,多见于轨道交通车站与其他有高差的地下建筑的衔接处,其内部往往设置大量的垂直交通工具,如扶梯、电梯和楼梯。为满足人性化设计要求,此处往往设置大规模的开敞通透空间及地面采光口。

5.2　口部及节点设计

5.2.1　主要人行出入口通常作为城市地下商业空间的标志,体量大,常开向地面客流量大的方向,全天候开放,满足客流日常使用,多采用下沉式广场等形式来体现其重要性、标志性、与环境的融合性,同时弱化其对地面景观视线的影响。同时,这里也是人流集散的区域,需要设置在开敞的地段,并方便与地面交通的接驳。

　　5　考虑到主要人行出入口是人流集散的区域,人流需要在此完成地下与地上的交通接驳、转换与疏散。为了避免客流在此滞留并直接涌入地面道路,其附近设置用于缓冲作用的集散广场是十分必要的。

　　8　主要人行出入口设置一定规模的交通设施、服务设施及自然环境,即能满足其使用功能要求,又能体现地下商业的品质,更好地吸引客流进入地下。

　　9　考虑到人们天生对黑暗的恐慌心理、对潮湿憋闷的不适心理以及对方向的混乱感觉,在地下空间设计中引进自然通风和天然光线的做法应该是解决上述不良心理反应的最佳设计手段,同时也是符合绿色建筑充分利用自然资源的体现。

5.2.2　城市地下商业空间的防火设计中人员的安全疏散问题最为重要,安全出口的位置是根据每个防火分区所需的疏散宽度、疏散距离及疏散口的数量而确定,并应与商业动线相一致,方便顾客在火灾发生时使用。同时,为了确保人员疏散的快速通畅,其口部附近应设置一定的缓冲空间用于疏散。安全出口通常只作为防灾使用,平常不使用,因此常采用门禁控制。

5.2.3　城市地下商业空间存在大量的商品货物需要运输,因此需根据货运量及货运距离配置相应的货运通道、垂直交通工具及货物运输口。为提升商业品质,货运设施应相对隐蔽设置,货运流线应独立设置,减少与人员流线的交织,并方便与地面交通的衔接。

5.2.4 下沉式广场作为城市地下商业空间的主要人行出入口,需要设计一定规模的缓冲空间用作人员疏散,配置必要的交通设施满足其使用功能要求,设置相应的服务设施及环境空间体现商业品质,同时,尚应符合现行国家标准《建筑设计防火规范》GB 50016 中安全疏散的有关规定。

5.2.5 为打造立体空间、提升商业的环境品质,城市地下商业空间往往需要设置一定数量的中庭,其大小、数量、构造形式应根据项目的规模、档次、定位等商业策划来确定,其配置的交通设施、服务设施及景观环境应根据项目的商业布局统一考虑,并符合现行国家标准《建筑设计防火规范》GB 50016 中防火措施及消防系统的有关规定。

5.2.6 为体现绿色建筑对自然环境的利用,城市地下商业空间往往结合地形高差、地面景观等外部条件设置一定数量的采光口,把自然光引入地下,提升地下购物环境,满足购物人群的心理需求。其中,天窗式采光口为常用型,侧墙式采光口需要利用地形的高差或设置天井来完成。采光口的设计应综合考虑地下空间的视觉尺度及环境效果的合理性,尚应考虑其美观和安全等功能要求、防水节能等构造要求,以及方便维修。

5.2.7 城市地下商业空间的新风及空调系统需要配置大量的出地面进、排风口,进风口的作用是把室外的新鲜空气引入地下,排风口的作用是把地下的污浊空气排出室外。两者的大小形状不一且分布零散,对地面景观有一定影响。在满足通风开口大小、方向、高度、间距等功能要求的基础上,原则上其布置应结合地面景观集中设置,并与地下空间的其他出地面的构筑物相结合设置,同时应考虑其美观和安全等功能要求、防水节能等构造要求,以及方便维修。

5.2.8 城市地下商业空间的大型设备用房为满足设备的安装维修,可采用设置独立的设备吊装孔,也可利用相邻设置的汽车库坡道运送大型设备。吊装孔的数量不限,原则上尽量少,其开孔大小、数量、位置及构造形式应根据项目的实际情况统一考虑。

5.2.9 冷却塔应用于空调冷却系统,城市地下商业空间配置的冷却塔需要设置在地面,在保证其周边空气质量均好性的前提下,应结合其他类型的各种地面建筑物/构筑物组合设置,以减少对地面环境的影响。

5.3 物理环境

5.3.1 一般来说,地下空间受外部气温的影响较小,其温湿度相对稳定,但在夏季室外高温高湿的情况下,由于地下建筑外维护结构温度低,地下空间极易形成高湿度,影响人体蒸发散热,从而影响地下人群的体感舒适度,因此城市地下商业空间宜采用可控制的高效的通风空调系统、加大通风量、提高换气效率来改善室内空气质量及热湿环境,满足现行国家标准《公共建筑节能设计标准》GB 50189 中对冬季及夏季的相关房间的温湿度标准的要求。

城市地下商业空间利用自然通风换气符合节能环保的绿色建筑理念,但地下空间与地面可进行空气交换的面积有限,自然通风换气不充分,容易受到粉尘及其他有害气体的污染,进而影响人体的健康。因此地下空间在自然通风换气条件不足时,应增加人工换气设施来净化室内空气,如能量回收新风换气机等,使地下空间达到现行国家标准《公共建筑节能设计标准》GB 50189 中有关房间的新风量标准,使地下人群可以呼吸到高品质的新鲜、干净的空气。

5.3.2 城市地下商业空间利用构造措施把自然空气引入室内,满足地下人群的生理需求和心理感受,符合节能环保的绿色建筑理念,但往往可利用条件有限,地下空间的室内空气质量更多的取决于新风的质量和大小,由于室外的空气(新风)与室内空气有较大的温差,对这些新风的温差及净化处理需要消耗能源,采用独立的新风系统。

4 在新风系统中采用全热交换器,春、秋过渡季节采用自然通风系统,可以减小新风负荷,保证室内环境的质量,控制能源的消耗。

5 地下空间室内空气质量控制指标,按现行国家标准《室内空气质量标准》GB/T 18883、《民用建筑工程室内环境污染控制规范》GB 50325 的有关要求,结合地下空间特点提出。由于地下空间通风的局限性,空气质量与地面建筑相当或略低。

5.3.3 城市地下商业空间的光环境设计包括自然采光和人工照明。

1 采用自然采光方式可降低建筑室内人工照明能耗,如:通过天窗将自然光直接引入室内、通过下沉式广场增加地下空间的侧向自然采光面积、通过地下中庭接受并传送阳光从而改善地下空间的光环境。当选择天然采光时,应采取合理的遮光措施,避免产生眩光。

2 主动式采光系统是采用集光、传光和散光等装置与配套的控制系统将自然光传送到地下空间内部,从而改善室内光环境,减少人工照明能耗,使地下空间符合绿色照明、保护环境的绿色建筑可持续发展的战略目标。目前常用的天然导光技术(光导管)可将自然光导入地下,取代部分地下空间的人工照明,节省建筑用电,减少运营费用,改善地下空间的光环境质量,符合节能环保的绿色建筑理念。

4 不同的营业场所对照度、均匀度、眩光限制、显色性等照明参数的要求各不同,应按相关标准配置。地下空间的采光更多的是以人工照明为主,其采光标准值、照度标准值、照明质量应符合现行国家标准《建筑采光设计标准》GB 50033 及《建筑照明设计标准》GB 50034 的有关规定。

5.3.4 城市地下商业空间配置有一定量的大型设备机房,包括空调机房、冷冻机房、水泵房、变电所等,这些用房的设备机组往往产生严重的噪声与振动,设备机组及管道除了自身设置减振、消声处理外,其设备用房的维护结构也需要进行减振、隔声和吸音处理。

5.4 景 观 设 计

5.4.1 营造良好的地下环境,不仅能满足购物者的心理需求,同时也是商业品质的体现,直接影响商业效益,城市地下商业空间的室内景观设计应结合室内空间的组织、装修材料及图案色彩的应用、绿化小品的布局、灯具照明的选择,来体现商业建筑的特性及内涵,营造愉悦的购物环境,创造最大的购买力和商业利润。

5.4.2 绿色建筑是指在建筑的全寿命周期内,最大限度地节约资源,节能、节地、节水、节材、保护环境和减少污染,提供健康适用、高效使用、与自然和谐共生的建筑。绿色建筑的目标是实现可持续建筑。城市地下商业空间的绿色建筑应体现在地形、空间等自然环境的利用,太阳、光、风等天然洁净能源的使用,低碳建材、设施及节能技术的应用,就地取材、废物利用等节约土地资源的方式,中水利用、雨水收集等保护自然环境的措施,共同打造节能减排、低能耗的绿色生态环境。

5.5 安全防护设计

5.5.2 城市地下商业空间内种类繁多的商品多系可燃物、地下设备管线集中、地下空间相对封闭、方向感差等,这些危险因素都要求其防火设计成为首要解决的问题。城市地下商业空间的防火设计应符合现行国家标准《建筑设计防火规范》GB 50016 的有关规定,同时应满足与其相连的各类建筑的防火规定。

5.5.3 城市地下商业空间的防洪防涝设计应符合所在地区的相关标准及规定,做好地下空间出地面构筑物的防雨和排涝的构造措施,防止雨水倒灌。

5.5.4 城市地下商业空间的防水设计应符合现行国家标准《地下

工程防水技术规范》GB 50108 的有关规定，做好地下空间的防水、排水及防潮的构造措施。

5.6 无障碍及导向标识设计

5.6.2 城市地下商业空间应符合现行国家标准《无障碍设计规范》GB 50763 的有关规定，合理设置无障碍电梯、无障碍卫生间、无障碍坡道等无障碍设施。

5.6.3 由于地下空间自身的封闭性强和方向感混乱的特点，因此，在地下空间中引入从视觉、听觉到触觉等多方位的导向标识系统成为必然，通过静态的导向标识系统来指导人们在地下的动态行为方式。城市地下商业空间的导向标识设计不仅要引导地下空间的购物行为及服务导向，还要满足地下防灾疏散的要求。

5.6.4 导向标识的内容应包括服务功能、交通工具、方向等信息，其大小、形状、位置、间距等设计元素应符合项目的地下空间尺度，其文字、符号、颜色、材质等设计元素应符合项目的室内环境风格，做到信息准确、可识别性强。

5.6.6 导向标识的大小应与所设置场所的空间尺度相协调，过小会导致可识别性差、利用价值低，过大则影响地下空间的品质及形象。

需本标准可按如下地址索购：

地址：北京百万庄建设部　中国工程建设标准化协会

邮政编码：**100835**　　电话：（**010**）**88375610**

不得私自翻印。

S/N:155182·0227

统一书号:155182·0227

定价:24.00元

T/CECS 481-2017

中国工程建设协会标准

城市地下商业空间设计导则

Guidelines for design of urban underground
commercial space

中国计划出版社